나무 위

나무 위

발　행 | 2024년 1월 2일
저　자 | 한규호
펴낸이 | 한건희
펴낸곳 | 주식회사 부크크
출판사등록 | 2014.07.15.(제2014-16호)
주　소 | 서울특별시 금천구 가산디지털1로 119 SK트윈타워 A동 305호
전　화 | 1670-8316
이메일 | info@bookk.co.kr

ISBN | 979-11-410-6348-1

www.bookk.co.kr

나무 위

한규호 시집

시인의 말

눈 아래나 나무 위나
숨을 데 없어 숨지 못한 사람 가득한 곳이나
다 똑같았으면 좋겠어요

2023년 12월 한규호

나무 위

차례

에필로그

1부: 긴 글

영

그 어떤 발견도 발명보다 위대할 수 없고 그 어떤 발명도 창조보다 위대할 수 없으리. 우리는 모두 다르다. 시시각각 우리는 그것을 인정하기도 하고 인정하지 않기도 한다. 각자의 유일함은 뽐내지 않아도 빛이 나기 마련이다. 우리는 별처럼 눈부시게 반짝인다. 그대가 습득해 온 지식과 기술은 얼마나 다양하고 많은지. 그렇지만 그렇게 많은 것을 더하거나 다듬지 않아도, 복잡한 진화나 복원을 거치지 않아도, 그대는 조금도 어두워지지 않을 텐데. 너무도 험한 길을 오래 걸은 것은 아닌가? 더 적은 이들과 더 높은 곳에 오르지 않아도, 모두를 좌절시켜 혼자가 되지 않아도 이미 그대는 유일하다. 유일한 것은 소중히 여김을 받는다. 타인으로부터 뿐만 아니라 자연으로부터도 소중히 여김을 받는 당신은 귀한 존재다. 귀한 당신보다 아름다운 것은 없다. 말 그대로 스스로 그러한 자연으로 들어가 생명의 아름다움을 느껴라. 자연은 아름답기에 위대하고, 그저 그러하기에 아름답다. 기후 위기에 대한 경고의 메시지를 효과적으로 전하기 위해 "인간이 자연을 파괴한다"라는 표현이 만연히 쓰였기 때문일까, 인간은 생물이고 자연은 무생물이라고 구분하여 생각하는 경향이 있는 듯하다. 자연은 생명을 가진 객체를 무수히 포함할 뿐만 아니라 그 자체로도 살아있다. 온전히 계량할 수 없는 자연의 구성 요소는 일부조차도 온전히 제거할 수 없다. 인간이 아름다움을 함부로 하여 수많은 생명을 앗아왔다 하더라도 자연이 살아있음에는 흠집을 낼 수 없다. 단위를 붙일 수 없는 자연의 양(量)을 수학적으로 측량하면 영(0)이다. 존재하지 않아서가 아니라, 어느 차원의 그래프에서든 식별할 수 있는 표기를 하는 순간 오류를 발생시키기 때문이다. 영(0)이 있기에 그 위에 서는 첫 번째 의미는 일(1)이 된다. 창조가 이루어졌기에 창조물들 사이에서 일련의 발명과 발견 따위가 지속된다. 영(0)은 우리가 만들어 내지 못한다. 그러나 때때로 우리는 이것을 언제든 다시 만들어 낼 수 있는 것으로 이해하려 한다. 처음 이전의 '태초' 또한 같은 방식으로 만들어진 것이고 그것이 마치 밭에 방금 심은 씨앗처럼 이후에 일어날 것들에 대한 정보의 일부를 이미 품은 채 외부의 부가 정보(흙, 비, 햇볕 따위)와 결합하는 과정을 거치는 것으로 생각한다. 머릿속으로 쉽게 상상할 수 있는 이 그림은 일반적인 상황에서의 정보의 이동, 확장, 결합

따위를 전개해 내는 데 도움이 될지 모르나 진정한 태초, 영(0)의 의미를 담아내지는 못한다. '없음'의 개념을 숫자 0으로 표현하는 법이나, 없다는 의미의 어휘를 각 언어 속에 만드는 것은 인간이 자연 안에서 할 수 있었던 일종의 발명이었다. 그러나 그것으로 표현되는 자연 자체는 결코 우리가 만들어낸 것이 아니며 앞으로도 만들어 낼 수 없다. 자연은 관념으로만 존재하는 것이 아니기 때문이다. 위대하게 창조된 자연이란 실체는 우리 모두보다도 먼저, 그러니까 어떠한 측정 가능한 유일함도 없을 때부터 홀로, 그러나 유일하지는 않게 스스로 그래왔다. 자연수는 0을 포함하지 않아 사실 부자연스럽고, 자연 없는 인간의 존재는 무의미하다. 0은 사라질 길이 없어 사라질 수도 없고, 존재를 증명하거나 부정할 수도 없는 것이나, 편의상 존재한다고 여길 뿐이다. 0으로부터 양(量)의 의미를 부여받은 양의 정수, 즉 자연수처럼 인간은 자연으로부터 유일해질 특권을 양보받았다. 그러니 그대는 그저 그렇게 있어라. 유일해서 소중하고 귀하며, 무엇보다 아름다운 당신은 이렇다 할 무언가를 하지 않아도 그 소중함과 귀함, 아름다움을 잃지 않으리라. 만일 무엇인가를 하고 싶다면 주저할 이유도 없다. 당신이 하고 싶은 일을 다른 이가 이미 한 것 같더라도 신경 쓸 필요 없다.

비슷해 보이는 성취도, 더 뛰어나 보이는 성취도 결국 당신이 한 것이 아니라 외부에서 일어난 일이다. 아직 한 발도 내딛지 않은 당신은 0위에 있다. 복잡하고 거대해 보이는 세상도 당신이 한 발 내딛지 않는다면 전부 0이다. 유일한 당신이 존재하고 생각하고 움직일 때, 아무것 없던 세상이 "하나."하고 셀 것이다.

하나

무엇을 하는가. 이것의 답을 들으려면 하는 것이 끝날 때까지 기다려야 한다. 무엇인가를 하는 와중에 답할 수도 있겠지만 그 무엇을 끝까지 다 해낸 뒤의 답변만큼 정확하고 진실할 수는 없을 것이다. 때때로 하던 무언가를 끝낸 직후보다 자신이 무엇을 하고 있었는지 생각하는 시간을 어느 정도 가진 뒤에 답변을 내놓는 것이 더 신뢰를 얻기도 한다. 따라서 답을 하려면 하고 있는 것이 무엇이 됐든 우선 마쳐야 하는데, 행동이 끝났는지 아닌지조차 행동을 끝낸 다음에야 알게 되는 때도 있고, 온전한 행동을 하는 이유, 즉 행동을 맺으려는 이유가 행동하는 이유를 말하기 위해서가 되면 질문과 답변이 반복되어 본래 이유를 답하는 것이 불가능해지는 구조적 문제가 생긴다. "인간은 무엇을 하는가?"라는 질문은 더 답하기 어렵다. 마찬가지의 이유로 '한다'는 것을 다 해 본 인간만이 이 질문에 온전히 답할 수 있는데, 그 인간이 답할 자격을 갖췄을 때는 이미 생명을 가지고 삶을 사는 것마저도 마친 상태에 있으므로 자신이 무엇을 하고 있었는지 생각하는 시간을 가지는 것은커녕 답을 하는 행동조차도 할 수 없다. 따라서 이 질문은 어떻게 답할지 뿐만 아니라 어떻게 행동해야 하는지마저도 고민하게 만든다. 인간은 어떻게 행동하는가? 우리의 행동은 끊임없다. 일할 때뿐만 아니라 쉴 때와 잘 때도 우리는 계속해서 몸을 움직이고 뇌를 사용하고 호흡한다. 살아 있는 인간이 완벽하게 어떠한 행동도 하지 않는 것은 불가능하며 진정한 행동의 멈춤은 죽음 이후에나 가능하다. 그러나 이처럼 엄격하게 행동의 의미를 살펴보는 것은 일반적이지 않다. 우리는 행동을 살아있음을 상징하는 고귀한 것으로 여기는 대신 하나로 길게 이어진 행동을 엿가락 자르듯 잘라서 기준에 따라 분류하고 개수를 세고 측량한다. 가령 몇 분 동안의 운동을 몇 번 했는지, 몇 시간 동안의 공부를 얼마 동안 했는지, 그래서 어떤 결과가 나왔는지를 분석하고 활용한다. 행동을 하나의 끊임없는 연속되는 것으로 여기는 대신 그중 '운동', '공부'와 같은 자신이 의미 있다고 생각하는 부분만을 잘라서 단위를 붙이는 것이다. 행동은 주로 '번'이라는 단위로 세어지는데 이것은 우리가 '여러 번' 행동하는 것이 가능하기 때문이다. 인간은 몇 분 동안 여러 무언가를 반복적으로 할 수 있는 기억력과 운동능력, 집중력을 가지고 있다. 좋아하는 행동은 자발적으로 수 시간 동안 하기도 한다. 중간에 휴식을 취하면 더 오래 할 수도 있다. 충분한 식사를 하고 밤에 깊은 잠을 자고 아침 햇볕을 쬐는 것과 같은 질 높은 휴식이 곁들여지면 수십 년 동안 하나의 의미 있는 행동을 반복하여 엄청난 성과를 이루어내기도 한다. 우리는 이 휴식의 원리를 당연하게 여기면서도 자주 망각한다. 수십 년간 무수히 많은 휴식을 접착제 삼아 붙여온 행동 조각이 그린 거대한 그림 한 폭을 하루 밤샘으로 흉내 내 그리려 하거나 심지어는 더 훌륭하게 그릴 수 있다고 착각하는 미련함을 보이는 경우가 그렇다. 꼭 그렇게 거대한 일이 아니더라도 잠시 쉬었다 하면 훨씬 더 잘할 수 있는 일을 굳이 쉬지 않고 무리해서 이어 하려다 망치는 경우는 드물지 않다. 우리는 분명 의미 있는 행동 조각을 반복함으로 놀라운 능률을 보여 왔지만, 잘 쉬는 것을 하지 않아 많은 실수를 초래하기도 했다. 행동 반복은 잘 이어진다면 기록과 학습, 유전을 통해 인간 수명 너머의 기간까지 계속될 수도 있다. 올림픽에서 기록이 깨지는 순간을 보라. 가장 오래된 올림픽 기록이 왜 1968년에 불과한가? 1896년 초대 올림픽에 출전한 선수는 왜 이후의 선수들만큼 좋은 기록을 내지 못했는가? 과거 선수들은 지금 선수만큼 열심히 노력하지 않았기 때문일까? 그렇지 않다. 과거보다 더 나은 훈련 방법과 훈련 기구가 연구되었기 때문이다. 어느 시대나 먹는 걸 좋아하는 사람들은 꽤 있었고 그들은 머리를 맞대어 한정된 자원 속에서 먹고 싶은 것만 더 먹는 방법을 찾아냈다. 빛나는 반복의 결과에 감탄하며, 더 많은 고기와 플라스틱을 만드느라 마구잡이로 헤집어 놓은 지구를, 현재보다 더 축적된 연구의 반복으로 더 똑똑해질 것으로 기대되는 미래의 인간이 어쩌면 다시 살릴 수도 있지 않을까 기대하기도 한다. 우리는 중독된 듯 행동을 반복함으로 측량하기 힘들 정도의 크기의 결과를 만들어 내며 그것에 압도당하기를 즐기는 듯하다. 심지어 '한 번에 되는 것은 없다'라고 말하며 열심을 부추기기도 한다. 우리는 이렇게 인간의 행동이 본래 하나였다는 것을 전면으로 부정하는 지경에 이른다. 반복의 남용은 자연을 해친다. 하나의 흐름으로 각 계절에 맞게 성장하며 열매를 맺던 논과 밭에 비닐을 씌우고 씨앗의 정보를 조작하여 비정상적인 수확을 반복한다. 다 먹지도 못할 만큼 만들어 쌓아두고 남은 것은 함부로 버린다. 버려진 것은 제대로 썩지 않아 그다음 생산을 방해한다. 필요하지도 않은 것을 만드느라 정작 필요했던 것을 부순다. 이것을 인간의 본성으로 받아들여야 하는가? 생산에 중독되어 자신을 스스로 파괴함에 이른 모순적인 우리의 행동은 어디에 기인해 있는가? 반복의 즐거움은 멸망을 불러오는 악한 쾌락인가? 우리는 부지런히 도시를 키웠고 그럴수록 생명은 버려졌다. 이제는 오히려 문명을 버려야 우리가 살아남을 것만 같다. 미디어에서는 조금 있으면 우리 다 죽는다고 말하지만 믿는 사람은 별로 없다. 사실 우리는 진작 알 수 있었다. 첫 번째 산업 혁명 때 증기기관을 돌리느라 수많은 사람이 죽는 것을 목격했다. 그 참사를 보고도 멈추지 않았다. 모터를 돌리는 게 죽을 만큼 좋았던지 정말로 모터를 돌리다 죽고 말았다. 우리는 우리의 행동이 더 많은 사람을 죽이기 전에 반복에 대해 다시 생각해야 한다. 행동은 원래 하나였고 여전히 계속되고 있다는 것을 잊지 말아야 한다. 실제로는 한 번도 끊어진 적도, 반복된 적도 없다. 모든 사람은 한 번 행동하며 고로 한 번 산다. 태어나서 숨을 거둘 때까지의 길고 절절한 여정도 결국 단 한 번의 몸짓일 뿐이다. 한 번뿐인 행동을 어떤 모양으로 할지는 각자에게 달렸다. 다만 이것이 귀함을 알아야 한다.

둘

우리의 삶, 우리의 행동이 그러하듯 하나뿐인 것은 귀하다. 하나가 아니던 것도 하나가 되면 소중히 여김을 받으며 귀해진다. 많은 것에서 적은 것이 되고, 적은 것에서 하나가 되어 온 존재는 소중히 여김을 받으면서 하나에서 영(0)이 되지 않도록 애쓴다. 사라질까 봐 두려운 것이어야 비로소 아름답다. 아름다운 것은 언제나 외롭다. 그 아름다움은 자신과 똑 닮은 '또 하나'를 보게 되고 그와 함께 '둘'이 되려 한다. '하나'로서의 유일함이란 특권을 내려놓으며 조금 덜 소중히 여김을 받게 되자 외로움의 무게는 가벼워진다. 그렇게 오래도록 덜어내고 덜어내었던 '반복'을 다시 찾는다. 그러나 이 반복은 맹목적으로 이어져 오다 스스로 자멸함을 자아냈던 이전의 파괴적 유희와는 결이 다르다. 내디뎌진 한 걸음에 다른 한 걸음을 이어 더할 때 마침내 몸의 이동이 발생하여 전진이 인정되듯, 이 반복으로 자신의 무게를 견뎌내며 존재함으로서의 귀함에서 함께함으로서의 귀함이라는 다음 영역으로 초대될 자격을 얻는다. 가벼워진 발걸음은 리듬을 탄다. 그렇게

'하나하나' 운율을 더한다. 운율의 즐거움을 발견한 인간은 관계에서의 운율, 재회를 꿈꾼다. 우리는 '함께함'이 시작되기 직전의 찰나인 '만남'이 반복될 때 큰 기쁨을 느낀다. 다시 만나면 반갑다. 이것은 공동체의 의의이며 사후세계가 있다는 증거기도 하다. 천국인지 지옥인지 하는 것의 실체와 규칙에 대해서는 그 누구도 제대로 아는 바가 없지만, 그곳에는 이곳과 비슷한 면이 있을 것이고 헤어진 존재와 다시 만나는 사건이 있을 것이다. 물론 완전히 같은 상태로의 재회는 아닐 것이다. 그것을 사후라는 특수함이 가진 한계로 볼 것은 아니다. 단순히 시간이 지났기 때문에 생기는 자연스러운 현상이다. 이곳에서도 수년 만에 재회한 사람이면 잘 못 알아보기도 하지 않는가. 불과 몇 분 만에 다시 만난 사람이라고 해도 몇 분 전과 완전히 같은 사람이라고 볼 수 없듯 우리가 사후에 어느 구석이든 달라지는 것은 당연하다. 그곳에도 이곳처럼 하루나 계절과 같은 반복되는 것이 있을 것이다. 이는 인간에게 운율로서의 즐거움과 안정감을 동시에 준다. 시간의 흐름을 나타내면서 동시에 공간의 이동을 나타내는 현상이라는 점도 주목할 만하다. 날과 해가 지나감은 24시간, 365일이라는 시간의 변화 때문이기도 하지만 지구가 자전하고 공전하는 공간의 변화 때문이기도 하다. 사후세계를 마치 발견되지 않았던 대륙처럼 3차원적 미지의 공간으로만 여기는 것은 무리가 있지만 시간과 공간이 같은 방향을 가지는 위의 예시와 같이 시공간에 준하는 어떠한 개념이 그곳에 존재하고 방향을 같이할 것이며 현생에서 인간이 시공간에 의지하며 살듯 그것은 그곳에서의 삶의 바탕이 될 것이다. 인간은, 어쩌면 시공간 외 제3의 또는 그 이상의 흐름에 적용되어 더는 인간이라고 불리기 곤란할 지 모를 우리 존재는, 현생의 운율과 사후의 운율, 둘 사이를 이어주는 운율, 세 가지 모두를 즐길 것이다. 이것은 윤회와 다르다. 도돌이표가 악보의 특정 부분을 한 번 더 읽으라는 지시일 뿐 타임머신을 타고 과거로 시간을 옮겨서 다시 연주하라는 지시가 아닌 것과 같다. 도돌이표의 기능은 악보 공간의 절약에 그친다. 삶이 윤회한다면 고장 난 전축에서 강제로 특정 구간만을 반복하는 음악의 일부와 같을 것이다. 그것은 전혀 즐겁지 않다. 흐름 없이 회전만 있다면 그곳에서의 반복은 운율로서의 의미가 없다. 흐름은 곧 끊이지 않고 이어짐을 의미한다. 하나와 또 하나가 만나서 둘이 되는 것이 아름다운 이유는 서로에게 또 다른 하나였던 둘이 다시 같이 흐르는 하나가 되기 때문이다. 유일했던 하나는 다른 하나를 만나 그도 유일했음을 인정하고 자신을 두 번째라고 고쳐 부르며 둘이 되는 법을 배워간다. 때로는 둘이 될 수 없어 하나에 불과한 하나에게 같이 둘이 되자고 손을 먼저 건네기도 한다. 우리의 삶은 어쩌면 하나, 둘까지만 세어도 충분할지 모른다.

셋

수직선 위에 올려놓을 수가 1과 2뿐이라면 상상할 수 있는 연산은 많지 않다. 어떤 것이 다른 것보다 1만큼 크다든지, 하나가 다른 하나의 두 배가 된다든지 하는 정리들은 별 의미가 없다. 1과 2 중 무엇을 고를지는 연산과 관련 없다. 어떤 질문에 대해 O와 X 중 하나의 대답을 고르는 것처럼, 온전한 흐름 안에 머무는 것이면 전자, 다른 흐름을 인정하여 결합한 것이면 후자를 선택하면 될 일이다. 연산값이 아닌 행동과 마음의 정의로 완성된 하나와 둘은 결코 연속된 수로서 세어지지 않는다. 하나가 둘이 되고, 어쩌다 셋 이상이 되었다고 해도 바로 다시 하나로 귀결됨이 자연스러웠던 흐름 속에서 누군가는 셋이 되었던 그 찰나를 흘려보내지 않고 그곳에 머무는 것에 관심을 가지게 되었다. 하나 됨이 최상의 가치로 인정받는 사회에서 셋에 대한 관찰을 이어 나가려면 그것을 잠시라도 붙잡고 있어야 했는데 이는 시간을 붙잡아 멈추는 것만큼 비현실적이고 부자연스럽게 느껴졌을 것이다. 누구도 시도해 본 적이 없는 일이었지만 생각만큼 그렇게 어렵지는 않았을 것이다. 하나하나 떨어져 있던 존재들은 소중히 여김을 받는 것에 감사하며 매일을 살아가고 있었지만, 귀해질수록 위태로워지는 존재로서의 대가를 치러야 했고, 더불어 지독한 외로움과도 싸워야 했다. 아름다움이 어디에나 있어서, '평등'하다는 말조차 잘 쓰이지 않았던 세계에서 한 방향으로만 작용했던 중력을 거슬러 정상 궤도로 들어가기를 거부하고 셋 또는 그보다 많은 수로 머물렀던 존재들은 강해질 생각조차 못했던 하나들 위에 강하게 군림하는 '지배'를 발명했다. 더 많이 모이면 더 큰 힘을 가지게 되어 더 많은 약한 존재를 통제하고 부리는 것이 가능했다. 피지배층이 제대로 작동하지 않거나 반동 세력이 생기는 일을 방지하기 위해, 즉 그 구조의 붕괴를 막기 위해 적당한 내부 지배 세력들을 겹겹이 배치하고 지속해서 힘을 키우게 되면 이론상 '완전한 지배'도 가능할 것이다. '지배'층이 되고 싶어 하는 이는 주로 온전한 하나가 되어보지 못한 이다. 앞서 살펴보았듯 자신의 유일함을 받아들이고 스스로와 타인으로부터 아낌을 받는 것은 그렇게 어려운 일이 아니다. 본인의 가치를 모르거나 인정하지 않은 이라고 할지라도 적절한 휴식만으로도, 때로는 아무것도 하지 않고 시간을 잠시 보내는 것만으로도 온전한 자아를 회복하기도 한다. 무엇이 그들의 고

귀함의 발산을 막고 있었는지는 모르겠으나 그들은 그들을 아름답게 여기려 하는, 태어나서 평생을 기대어 자라온 공동체의 본능을 버린다. 체계에 적응하지 못하는 사람일수록 그 체계를 더욱 부정하게 되고 새 물결의 당위성을 주장하는 데 놀라운 활약을 펼치곤 한다. 다수로 이루어진 피라미드 구조에서 진정한 지배층은 소수에 불과하고 (때로는 한 명에 불과하고) 나머지는 그것을 위해 속해있는 것이나 다름없다는 것을 알고 나서도, 심지어 자신의 위치가 피라미드 중턱에도 미치지 못한다는 것을 알면서도 그들은 계속한다. 그래도 이 위치가 이전보다는 낫다고 말하며 더 위로 올라가는, 괴롭고 고통스러운 자기 최면법을 터득한다. 가만히 있어도 귀한 걸 얻을 수 있었던 기존 체계에서 탈출했는데, 여기까지 온 이상 더 나은 것을 얻어가야만 한다는 생각 때문일 지도 모른다. 뒤따라온 이들도 그가 첫발을 내디뎠을 때처럼 현 체제에 대한 수많은 찬양 연사를 내놓았고 그것들의 진위여부와 관련 없이 복잡한 논리와 주장은 여러 갈래로 꼬여 넓고 튼튼한 그물을 만들어 그들 자신을 붙잡는다. 제3의 수로 내딛음은 본인과 같이 기성에 적응하지 못한, 곧 소수이며 약자였던 이들의 권리 회복을 위한 것이었다고 말하기도 할 테다. 그러나 진보에 대한 열망이

강했을수록 그 세 번째 길로 첫걸음을 내디딜 기회 또한 빨리 얻을 수 있었기 때문에 새 물결 안에서 그들은 소수나 약자가 될 이유도 그들을 대변할 이유도 없어진다. 여러 혼란을 밟고 밟아 새 피라미드의 꼭대기를 정복한 그들은 그들이 이뤄낸 변화를 흐뭇하게 둘러보며 자신이 마땅히 주인공이 되어야 한다는 마음을 가진다. 그 마음을 버리고 주위 누구와도 연합했다면 서서히 피라미드는 뭉뚱그려졌을 수도 있겠지만 날로 뾰족해지기만 하는, 처음보다도 더 유일하며 더 외로워졌으나 조금도 소중히 여김을 받지 못하는 꼭대기가 된다. 그러나 곧 본인의 과거와 똑 닮은, '네 번째' 물결을 몰고 돌진해오는 열의에 찬 새로운 젊은 혁명가에게 제거 대상 1순위가 된다. 심각성을 인지하고 방어 태세를 갖추기에는 너무나도 오랜 시간 자기 연민과 치환하여 쌓아둔 자부심이란 낡은 안경과 숭배자들의 가식적인 연호가 눈과 귀를 두껍게 막고 있다. 수많은 하나들의 유일함을 모아 큰 욕망의 발바닥으로 밟아 짜낸 힘은 농도가 진하고 맛이 쓰다. 그것은 아무리 오래 섞어도 하나가 되지 않아 관리하기에 까다롭다. 가만히 두면 굳어서 썩고, 성장시키려면 되려 많은 부분을 도려내야 하는 불쾌한 반복이 강제된다. 우리 사회에 썩은 내와 절단의 신음이 가득하게 된 것은 우리가 너무도 많은 힘을 이런 식으로 키워 왔기 때문이다. 보수와 진보의 균형을 맞춰야 하는 의무를 지게 됨은 단순함의 아름다움을 버리고 큰 힘을 가지려는 욕심으로 길을 낸 부자연스러운 궤도에서 시작했다. 너무 보수적이어서도 너무 진보적이어서도, 그렇다고 가만히 있어서도 안 되는 세계가 되어버린 우리 사회는 너무도 바빠서 모두에게 공평하게 주어진 유일함이란 선물을 챙기지 못하고 있다. 하나뿐인 자신이 혼자 있음을 먼저 받아들여야만 다른 이의 유일함도 받아들이며 둘이 될 수 있다. 그렇게 외로움에서 벗어나는 과정을 보지 못한 이는 처음부터 하나라는 것이 존재하지 않았던 것처럼 자신 또한 하나로써 인정하지 않으며 산다. 그래서 완전할 수도, 유일할 수도 없다. 어딘가에 속해 있는 존재로서만 본인의 존재를 인정받을 수 있다고 생각하는 이는 자신을 포함한 그 영역만이 건강하기를 바랄 뿐이다. 각자 하나로 모여 된 둘이 다시 하나로 될 때 양쪽 모두에게서 자발적이고 자연스럽게 희생이 이루어지는 것과는 달리 집단을 본인의 존재를 인정받기 위한 수단으로만 보는 모임에서는 타인을 위한 희생이란 없다. 자신의 존재와 존엄을 온전히 인정하지 않는 사람에게 타인의 존재와 존엄을 인정하기란 불가능하다. 자기 존재에 대해 확신이 없는 사람, 곧 자신이 없는 사람은 자신감이 없기에, 자발적으로 어느 것의 부속품이 되려 한다. 자신의 존재는 부정하면서 자신을 부리는 존재는 인정하는 모순을 안고 새 체계로 들어가간다. 자신을 노예와 같이 여기며 사회의 주권자가 되길 마다하는 이는 역설적으로 자만해질 가능성이 크다. 일시적일 뿐이라도, 착시에 의한 것이라도, 본인의 열심에 의한 것이 아니라도 남(다른 노예)보다 나은 요소가 잠깐이라도 보인다면 날쌔게 포착한다. "내가 이만큼 대단하다" 라고 말하는 짜릿함을 느낀다. 애초에 비교하는 것이 불가능한 것까지 끄집어내 자신만의 측량 방법을 개발해서 비교한다. 여전히 자기 존재를 하나로 인정하지는 않으면서 자신이 속해 있는 집단의 이름을 빌려 이 사람보다, 저 사람보다 더 나은 사람으로 여겨지도록 스스로 높여 부른다. 우리는 이렇게 자존감이 낮은 사람과도, 자만이 심한 사람과도 함께 살아간다. 사람을 만나는 이유가 서로를 비교하기 위함 뿐이라면 모든 날이 괴로울 것이다. 서로의 유일함을 인정하고 그 다채로움을 즐기는 만남은 어떻게 회복될 것인가.

넷

모든 사람의 가치가 동등하게 무한히 귀한 것이라는 정리가 깨지고 각자 다르게 매겨진 가치와 그 차이에서 오는 충돌이 인정되기 시작하면서 등장한 것이 있다. 돈이다. 다들 알다시피 사실 돈 없으면 다 안 되는 거다. 그래서 나는 일자리를 잃어서도 포기해서도 안 됐던 거다. 하기 싫은 일을 안 하려고 그나마 덜 하기 싫은 일을 하면서 그것마저 하기 싫다고 안 했기에 큰일났던 거다. 퇴직금도 실업급여도 없어서 이대로 죽어야 하나 생각이 드는 것은 겪어 보지 않은 이가 함부로 이해한다거나 공감한다고 말했다가는 듣는 이의 살의를 일으킬 수도 있는 매우 민감한 감정이다. 화폐는 물물교환의 단점을 메우기 위해 사용되기 시작했다고 한다. 최초의 화폐 사용에 대해선 뚜렷하게 밝혀진 바가 없다. 누가 발명한 것인지, 언제 어디서 사용되기 시작된 것인지 명확하지 않은 이유는 공식적인 통용 이전에도 이미 특정 물품이 화폐의 역할을 비슷하게 하고 있었고 누가 먼저랄 것 없이 여러 문화권에서 우후죽순 사용되었기 때문이다. 우리는 화폐의 기원에 대해 제대로 알지 못하는 것에 비해 발명의 의의는 제법 명확하게 정의한다. 번거로운 물물교환의 단점을 보완하고 신속한 거래를 가능하게 하는 것. 발명되던 당시에 실제로 이런 취지였는지는 모를 일이다. 물물교환 시장에서는 절대로 일어나지 않았을 규모의 거대한 양극화가 세계 모든 도시에서 생겼다. 자산의 양극화는 화폐를 통해 촉진할 수도, 설계할 수도, 조작할 수도 있다. 이 현상을 예상한 어느 한 사람의 욕심으로 화폐가 발명되어 기능하고 있는지도 모른다. 돈만큼 많은 사람이 진실하게 믿는 종교는 없다. 믿지 않으면 배척당한다. 자본주의를 죄악시하며 아직도 공산주의를 표방하는 몇 안 되는 국가들도 화폐 없이 정치를 하진 않는다. 아직 화폐의 개념이 없는 과거로 돌아가서 앞으로 인류가 화폐를 사용하게 할지 말지 결정할 수 있다면 어떻게 하겠는가. 사용하게 한다면 이유는 무엇이겠는가. 정말로 한 사람의 발명이나 허락으로 인해 돈이 사용되기 시작했다면 그에게 어떤 책임을 묻는 것이 적절한가. 어쩌면 누군가의 반대로 인해 인류의 돈 사용이 상당 기간 미뤄졌었는지도 모른다. 어찌 됐든 인간은 결국 돈을 쓰게 됐다. 얼마 지나지 않아 부자와 빈자가 생겼고 격차가 벌어지기 시작했다. 곧이어 평생 다 쓰지도 못할 만큼 돈을 가진 사람도 생기기 시작했다. 열세 자리 이상의 원화가 한 사람에게 모이게 되면 그 돈은 돈의 본래 목적대로 작동하지 않는다. 그들은 사실상 눈에 보이는 모든 재화를 얻을 권리를 가진다. 한번 무한으로 치솟은 재산은 쉽게 흩어지지 않는다. 더워진 공기로 인해 녹아서 바닷물이 된 빙하를 생각해 보자. 더 이상 녹지 않게 하려면 공기가 다시 차가워져야 하는데, 거꾸로 바닷물을 다시 얼려서 빙하로 만들려면 얼마나 차가워져야 하는지 생각해 본 적이 있는가? 무한으로 부푼 재산을 터뜨린다는 것은 이처럼 상상조차 힘겨운 일이다. 물론 그들이 실제로 무한하게 돈을 소비하며 빈자를 모조리 굴복시킬 수 있지는 않을 것이다. 그러나 그것은 인간의 수명에 한계가 있고 증여에 규제가 있으며 공급의 실질적 한계, 독점 방지를 위한 여러 장치, 구매와 유통에 걸리는 시간이 존재한다는 것 따위의 이유 때문이지 결코 액수가 적어서는 아니다. 우리는 그들에게 그렇게나 많은 돈이 집중되는 것을 막기보다는 그 힘이 남용되는 것을 막는 것에 더 집중하는 편이다. 거대한 재산을 갖지 못한 절대다수의 사람들은 박탈감을 느낀다. 돈 중심의 경쟁체제에서 빠져나오고 싶어서 돈으로도 살 수 없는 것을 찾는다. 그러나 그것은 매우 어렵다. 왜냐하면 애초에 돈이라는 것이 모든 것을 살 수 있게 하려고 만든 것이기 때문이다. 결국 맑은 공기, 친구와의 추억, 일상의 소소한 재미 따위의 돈이 굳이 없어도 얻을 수 있는 것들을 돈으로도 살 수 없는 "나만의 소중한" 것이라고 우기기 시작한다. 정신을 차리고 보니 나 또한 돈을 벌기 위한 노동, 돈을 어떻게 벌지에 대한 계획, 돈을 어떻게 아낄지에 대한 고민으로 삶의 시간 대부분을 소모하고 있었다. 돈 생각을 안 하는 순간은 찰나도 찾아보기 힘들어졌다. 선물 받은 자연이란 터전 위에서 하나에서 둘까지만 세어도 충분한 삶이라고 외쳤건만 나도 돈이 모자라니 죽을 것 같더라. 돈에 정신이 팔려서 공동체가 타락하는 것도, 개인이 유일함을 잃는 것도, 자연이 파괴되는 것도 막지 않았다. 돈 없이 사는 것도, 무수히 많은 돈을 갖고 사는 것도, (이건 어떻게 하는지 모르겠다만,) 적당히 갖고 사는 것도 내게 자유로움을 주지 못한다. 영에서 하나, 둘, 셋을 넘어 넷에 이르고, 무수히 많은 수가 무한한 속도로 만들어 쏟아진 그날 나는 어찌할 바를 몰라 나무 위로 올라가 버렸다. 잎새 뒤로 부끄러운 얼굴을 숨긴다. 끝내 친구 되지 못한 이들을 힐끔힐끔 가장 비겁한 눈빛으로 훔쳐본다. 절대 내려가지 않겠노라 적은 쪽지를 접어 안주머니에 넣는다.

2부: 짧은 글

나무 위 1

먹고 살자고 시작한 일
꽤나 잘 풀려 높은 자리에 앉았는데
그게 그렇게 겸연쩍을 일인가
그래서 그렇게 욕을 먹었나

몰래 좋아하던 사람
얼굴 한번 보자고 따라갔는데
그게 그렇게 부끄러울 일인가
그래서 그렇게 높은 나무를 골랐나

잎새 사이 희미하게
내려다보는 것으로 족했나
언젠가 꿈에 한 번 나와준다면
거기서나 똑바로 바라볼 사람인가

나 정말 그렇게 나쁜 사람인가
하루 이틀 먹어본 게 아닌 욕
일단 적응하진 말아 보기로 다짐했다
가장 높은 데로 올라가면서

이다음부터는 기억이 잘 안나는데
선생님은 왜 우리집에 계신 거죠
이건 드리려고 했던 건 아닙니다
아무거나 가져가셔도 괜찮긴 한데

아,
같이 밥 한번 먹자고 말도 못 꺼냈네

나무 위 2

알잖아요
문화 차이, 애국심, 그런 거 아니고
그냥 싫어하는 거라는 거
우리집은 소문만큼 그렇게 크진 않답니다

진실한 그대는
못 본 척할 줄 모르네요
투명하게 영혼을 끌어안네요

뒤따르는 무리도 진실할까요
나는 무서워서 나무 위에 있었어요
가식은 밀려오는 파도 거품처럼
언제 사라질지 모르니까요

저녁 식사에 초대할게요
모두가 보는 앞에서 거절해주세요
누구도 나를 질투하지 않고
누구도 그대를 시기하지 않도록

다 가져가 줘요
나에게도 필요 없고
그대에게도 필요 없겠지만
오늘도 날 아프게 만든 것들
나 많이 맞은 거 알고 있었겠죠

돈을 셌어요
버려야 하는 것은
내가 하는 일인가요 나 자신인가요
둘 다인가요

세던 돈을 내려놓고
그대와 저녁을 먹어요
버릴 것도 챙길 것도
기억할 것도 잊을 것도 없네요

끝이다
소리쳐 볼까요
누구든 무엇이든 다
끝이다

나무 위에서 시작해서
나무 위에서 끝났습니다

숨

한숨에 맺어지는 말 두어 마디에 힘을 더하려고
삶을 한 층씩 눌러 다지며 무거움을 더해간다

문자를 새길 손일지
공기를 밀어낼 성대일지
마지막 힘 남을 곳 어딜 지는 모르나

오랜 기간 공들여진
어느 정성 가득한 작품보다도
무겁게, 그 어떤 거짓도
가라앉힐 마무리가 되도록
돌을 세우듯 호흡을 짓네

선하다 악하다 할만한 공극도 없게
촘촘히 뱉어지고 쌓이는 숨

만남

꿈에서도 못다 이룬 꿈이 있네

예쁘고 깔끔한 맺음이 아니어도 좋으니
종전의 상징으로 남은 잔재처럼
거칠고 허무해도 좋으니
끝이 어서 오길 간절히 바라네
환생도 영생도 천국도 아닌 죽음만을 바라네

권선징악이라는 유치한 클리셰는
믿는 자가 없어 수십 년째 숨어있네

매일 마음 놓고 눈을 감지도 일어나지도 못해
밝기도 하고 어둡기도 하던 악몽이
잘못해서 받은 벌이 아니라
그냥 겪은 고통이었다니
그렇게 알고 나니 더 두렵네

처음부터 전부 보고 있던 당신은
정의롭지도 전능하지도
공평하지도 일관되지도 않았네

아
놀라움에 작고 긴 소리를 내었네
당신도 나만큼 슬퍼서 그랬구나

우리 이제 어떻게 해야 하죠
엉망이 된 온 세상 모든 마음
어디부터 치워야 하죠

더는 묻지도 답하지도 않는
두 사람은 조용히 평안하다

아무튼 당신과 나
이렇게 만났으니까

찬 바람

부드러운 찬 공기
어느 날카로움도 없이
두 팔과 입을 벌려 시원하게 맞는 것은
약 끊고 최소 일주일은 지나야 가능하다

하루에 한 알
벌써 육 년째 리튬을 먹으니
이러다 곧 전기자동차가 되겠네

늘 잔잔한 고통이 함께하는 산책
때로는 그래서 더 낭만적이었는지도 모르나
무뎌질 대로 무뎌진 피부에도
바깥바람은 언제나 쓰라렸다

온갖 종류의 잡음 흩어진 우리의 공기처럼
까슬하고 지저분한 크라프트지 위에
사각사각 쓰였을 삐뚤한 손글씨 편지 받으니
마음이 제법 움찔하는 듯하다

이중적인 바람 나눠 마시는 이웃 중에
땅과 하늘 손바닥 뒤집듯 뒤집으며 사는
힘세고 수완 좋은 능력자 참 많더라

내 뜻을 들어줄 리 없고
나도 더는 뜻을 펴진 않으니
그들 전부 무능한 것이나 다름없지만 말이다

춥지 않은 계절에도
창밖은 따사롭기보단 따갑다
외로움이 싫어 무능을 택했건만
죽음에만 더욱 가까워진 듯하다

찬 바람 불 때
한 발 내디딜 용기도 함께 폴폴 새어 간다

까대기

끝도 없이 밀려 들어오는 장마철 물량
쌓아 올린 종이상자 비에 젖어 흐물거리듯
무겁지만 동시에 너무나 위태로워
차라리 가녀리다고 해야 할 우리
머지않아 다 같이 무너질 처지를 나눈다
위로보다는 결의에 가까운 마음은 반복된다

눅진한 비린내에 콕 박혀
아까보다도 키가 한참 줄었다
생각의 높이도 이해의 폭도 줄어들 것만 같아서
서로 멀어지려고까지 해봤건만
훼방보다는 무시에 가까운 거센 비는 반복된다

스스로 단련하여 확장하고
그것을 다시 정제하는 것
요즘 유행 아니지 않나
– 상대적 우월감이면 충분한 세대니까

가만히 비를 마저 맞자
윤기 나는 송장의 타고난 두께까지 전부 녹도록
몇 번 걷어차이다가
주저앉아 트럭 떠난 빈자리나 쳐다보자

열대야

아침이나 밤이나
똑같이 더운 계절이 오니
자다 만 건지 깨다 만 건지
아주 어둡지 않은 밖을 보니 혼란하네

같은 꿈만 꾸니까
악몽이 아닌 꿈이라는 건 뭔지
눈물 없는 봄처럼 와닿지 않는 표현이네

깨다 만 건지 꾸다 만 건지
불안정한 꿈 중간에
나는 울어야만 하네

환풍기 돌아가는 소리가 들립니까
나만 들리는 소리가 많아지면
입원이 더 길어질 텐데요

나가서나 여기서나
다 똑같았으면 좋겠어요

밤이나 낮이나
삶이나 죽음이나
너와 함께하던 시간이나
그렇지 않은 지금이나

다 거기서 거기면
참 좋겠습니다

비

찰나의 웃음에서 아름다움을 보고 칭찬하는
우연이었을지 모를 작은 친절을 주는 당신

보이지 않다 못해
죽어가는 것이라 말해도 될 만큼
좁고 좁은 마음을 안아 합당하다고 하네

내 뜻을 다해 지킬만한 것일 뿐만 아니라
그 누구라 할지라도 소중히 하기에 충분한
반짝이는 유일함이자 아름다움이라고
저 멀리 들리도록 외치고 마음을 다해 속삭이네

너무도 흔한 모래알 속에서
한눈에 귀함을 건져내는 당신은
지독한 폭우에도 썩은 내 전혀 없는
오래도록 다져진 참 깊고 단단한 땅이구나

가장 굳은 사랑의 말을 하려면
어린아이가 되는 수밖에 없고
그 말을 온전히 이해하려면
큰비에도 무너지지 않는
고운 흙 성실히 쌓여 만든 바위 땅처럼
빈틈없이 꿋꿋이 늙어야 하는구나

지난 비에 무너져내려 부스러기 된 내 눈빛은
올여름도 이리저리 길거리만 더럽히네
더 무너질 것도, 그래서 위험할 것도 없는
찐득하지도 않은 흙탕물이네

우산

찢어진 우산인 줄 알고 가지고 나온 거다. 듬성듬성 물이 새긴 하지만 쓸만한 정도다. 외출을 거의 하지 않았다. 집 밖에 나가봤자 동네 산책 정도니 버스와 지하철을 매일 같이 타던 때처럼 우산을 잃어버릴 일도 없다. 편의점 우산을 이 정도 오래 쓰면 구멍이 나기도 한다는 걸 처음 알았다. 구멍을 보기까지 수년이 걸렸으니 이만하면 좋은 가성비라고 생각한다. 곧 또 하나의 큰 구멍이 생긴다. 위로부터 새는 물줄기가 크진 않아서 우산의 생명이 다했다고 할 것까지는 없을 것 같다. 그렇다고 계속 쓰고 다니기에는 제법 불편할 만큼 애매하게 비가 흐른다. 몇 걸음만 떨어져서 보아도 아무 이상 없어 보이는, 쓰고 있는 사람 외 모든 이에게 정상이라고 인정받을 만한 외형의 우산처럼, 이루어내고 쟁취했지만 사실은 한순간도 행복하지 않았다고 스스로 끝내 고백할 수밖에 없었던 단별 신사는 지난 날을 잊으려 한다. 차가운 물 틈은 그새 더 많아지고 커진다. 서너 개쯤 휘고 부러져도 별일 없던 우산 살과 다르게 천장 비닐의 몰락은 즉각 피부로 와닿는다. 몇 명쯤 사라져도 잘 굴러가는 사회에서는 반드시 몇 명쯤 사라지고 말더라. 더 많이 사라져도, 모두가 결국은 오래 가지 않아 사라질 운명이라는 것을 알게 되어서도, 먼저 사라진 이를 그렇게 잘 기억해 주진 않더라. 붕괴는 순식간이다. 더는 서로 버텨주지 않기로, 처음이자 마지막으로 만장일치 되는 그 순간 모두는 같은 곳, 아래를 바라보며 향한다. 애써 구분해 둔 사라져도 되는 이와 사라지면 안 되는 이의 경계가 없어진다. 우산은 곧 제대로 펴지지도 않게 된다. 휘어 어긋난 살은 한 때 정성으로 받쳐주던 천장 비닐로 치솟아 그것을 찢는다. 살을 파고들듯 살이 엉키고 더는 펴지지도 접히지도 않는다. 붕괴의 합의가 실현될 때가 차라리 희망이었거늘, 더는 무너지지도 시간을 되돌릴 수도 없게 된다. 지붕 위에 찬 물도 얼마 되지 않는다. 이미 거친 틈으로 흐를 만큼 흐른 비를 털어내니 십수 개도 안되는 물방울로 피부에 옮겨붙는다. 이제는 우산이라고 부를 수 있는 것인지 모르겠는, 구겨진 비닐을 뒤집어쓴 채 숨 막히게 얽힌 철사 더미. 무엇으로 불리든 보기에 너무도 흉측해서 반드시 대중의 눈 자락에서 치워져야만 하는 조형물은, 언제부턴가 우리의 감정이 소모만 되고 다시 채워지지 않았음을, 그래서 모두 잃었음을 보여준다. 마땅히 느껴야 할 것부터, 혼자만의 유일했던 것까지 모두. 먹지도 자지도 행복하지도 않던 때를 지나니, 때로는 우산을 써도 비를 맞을 수밖에 없다는 것쯤은 쉽게 받아들일 수 있었다. 수명을 다한 흉물이 축축한 거리에 버려질 때 나도 지독하게 고독한 거리에 멈춰 선다. 냄새도 없이 사라진다.

장마

동트기 전부터 밤늦게까지 비를 내릴게
매일 아침 집을 나서는 이에게나
방 안에 갇혀 스스로와 싸우는 이에게나

하루 또 한 주
다 비슷비슷하게 지나가도록

멋진 옷 입은 사람도
거친 노동 후 땀에 젖은 사람도
같은 하늘에서 떨어진 비 냄새에 절도록

짙은 얼룩이 바지 밑단 채도를 삼켜서
다 비슷비슷하게 보이도록

무관심이나 무례함이나
연대나 집착이나
구속이나 분노나
결별이나 죽음이나

한 철 부풀러 올라 부딪히고 뭉개지다가
금세 흩어져 남은 한 해 내내 잊힐
다 비슷비슷한 것들이니까

비가 오든 말든
무관심에서 죽음으로, 다시 무관심으로
비릿한 장마철 냄새처럼 살아라

차

차를 한 잔 마시네
총명하지 않은 눈이 고른 어느 차는
맛이 느껴지지 않아 이름이 없네

잔은 둥글고 작았네
어느 색이었어도 상관없었을 잔은
몇 번 오르락내리락하다 멈추네

가라앉은 과일 찌꺼기처럼
버려질 준비를 하자

세게 던져도 깨지지 않아서
함부로 다뤄도 되는 나는
또 다른 한 잔을 위해 떠나네

서너 명은 앉을 제법 큰 카페 식탁에
혼자 있으니 어김없이 저기요, 죄송한데.
여전히 이름이 없네

몇 번 왔다 갔다 하다가 앉아서
차를 마저 마셨네

개화산역

한 정거장 가서 환승이다

네가 쓴 시는 이 분이면 충분히 읽지
에스컬레이터로 내려간다
여운을 느끼기에 충분히 긴
글자들은 더 깊이 먼저 내려간다

짧은 글귀에 무슨 생각을 더한 들
파란 열차나 금색 열차로 들어가서
낯선 이에게 몸이 부딪힐 때
여운은 곧바로 부서질 거야

키 큰 네 얼굴에 꼭 날아오곤 하는 손잡이에
작은 구시렁거림 하나면 사라지는 거야

원래 생각이고 문장이고 다 그런 거야
인연처럼 우정처럼 운명처럼 믿음처럼
다짐도 맹세도 신념도 그런 거야
작은 부딪힘에 다 부서지는 약하고 우스운 거야

그래서 사람은 변덕스러운 거고
약속은 지켜지지 않는 거고
속고 속이고 때리고 맞으며
엉망진창으로 사는 거야

갈아타는 게 항상 시간표대로 딱딱 맞으면
시 같은 건 언제 써서 언제 읽겠어

인형

점토를 빚고 나무를 깎아 만들었네
전동기를 넣고 발전기를 넣고
반도체를 넣고 프로그램을 넣었네

나는 인형이 스스로 생각하게 되길 원하지 않아
그 어떤 사람도 스스로 생각하지 않았으면 해

나만 보고 나만 지키길
내 손길에만 반응하고 내 말만 듣길 원해
그것만이 네가 특별함의 이유였으면 해

그러나 사람들은 자꾸만 말을 걸었네
잘했다, 멋지다, 훌륭하다, 사랑한다.

비대한 데이터가 함축된 단어들은
인형에게 결국 자유와 정의 따위를
갈망하게 했네

나는 즉시 생기 없는 태초로
점토 덩어리와 나무토막으로
인형을 되돌려 보냈네

정신을 놓고 울부짖었네
내 앞에서 복종하고 추앙하던 인형아, 어디 있니?

역시 인형은 복잡하니
다른 덜 똑똑한 인간을 찾아보자

나무 위 3

나의 괴로움을 달아 보며
파멸을 저울 위에 모두 놓을 수 있다면[1)]

남은 힘 얼마 없는 나에게는
이 고통을 새기기에
단단한 반석보다는 무른 나무 밑동이면 좋겠네

잘리는 순간부터
매년 거칠었던 날씨에서 얻은 전리품으로
선명한 나이테 뽐내는 밑동보다는
뚜렷한 이음새 없는 민무늬 밑동이었으면 하네

내 손으로 의미를 담지 않아도
이미 연륜으로 빛나는 그대는
애당초 잘려 밑동이 되지 마시게
높은 곳에 넓은 잎을 내어 나를 숨겨주게

---

1) 욥기 6:2

나이를 가늠하지 못하는 저 깨끗한 단면처럼
혼자가 된 후
어떻게, 얼마나 살아왔는지도 계수가 안 되었고
살아왔는지 죽어왔는지도 사실 구분이 안 되었네

언젠가 구원자가 손 내밀어 준다면
그만 내려와라, 너희 집에 가야겠다 한다면
멸시 준 사람 무리에 눈길 주지 않고
그 길을 갈 준비는 되었네

때가 언제 올지는 아무도 모르고
기록된바 그가 나무 위에서 구원한 이는 단 하나
그러니 나는 계속 기록할 수밖에

오랜 친구

우리 만난 지 그리 오래되었나
둘 다 그다지 좋아하지 않는
햄버거 먹으러 같이 갔을 때 진심으로 행복했네

인생을 바꾸는 것 너무 어렵지 않냐며
하루에 아홉 시간 춤을 추고
하루에 아홉 시간 피아노를 치던
두 청년은 사실 각자 인생을 많이 바꿔왔네

무엇이 중학생이었던 둘 이마에
찐득거리게 왕따 낙인찍었는지는
이야기해 본 바가 없네
실체 없는 것을 토론하길 싫어하는 편이라

그 누구도 함부로 대할 수 없게 된 둘은
어디서 내려다봐도 여전한 인간들이
답답해서 한숨을 내쉬었네
  햄버거나 먹자

한 명은 밤에 좋은 술과 안주를 먹자 했고
한 명은 낮에 담백한 건강식을 먹자 했기에
마지막이 된 햄버거 회담에서 둘은 말했네

나는 언제 심장이 멈춰도 이상하지 않다
나는 언제 대동맥이 터져도 이상하지 않다

백구십이 훌쩍 넘는 군 면제 듀오는
감자튀김으로 마무리하고
아마 각자 집 가는 길에 울었다지

담아갈 것

담아갈 걸 준비해 왔어야지
양손 가득 안고 엉거주춤 걷다 보면
꼭 한두 개쯤 흘린다고
한 손 열어 얼른 주우려다
우수수 되려 전부를 잃고 말지

떳떳해야만 당당한 것은 아니지
휴 겨우 살았네
수두룩한 죽음 사이 겨우 건져진 삶
안도의 말엔 우쭐댐이 녹아있네

제자 발 씻기는 선생이 되겠다는 그대여
발길질 얻어맞고도 멀쩡할 튼튼한 코를 가졌는가
흘린 피도 네 탓이라
투두둑 투두둑 직접 다시 닦아야 한다네

위험한 것 더러운 것 가리지 않고
크고 작은 죽음거리들 앞에 당당한 모양새가
언뜻 보아 어느 종교인 같아 보일 수 있겠네
하지만 나는 아편 물로 발을 씻기네

자네가 가져온 이런저런 말들
먹음직도 하고 보암직도 하네
발 다 씻긴 물처럼
예상대로 구역질하며 모두 흘렸네

담아갈 걸 준비해 왔어야지

입추 다음 날

오선지든 대자보든
검은색으로 빽빽하면 읽지 않아
누군가 가슴을 치는 연설도
눈물을 쏟는 호소도 듣지 않아

예를 지나치게 갖춘 나머지
거대하게 부풀어 터져 버린
인(仁)의 파편에 흘린 피가 너무 많아

빤히 보이는 세속에
충분히 충실하지 않았기에
그저 지나가 버렸을 수 있던 것에
쓰라리게 아파

시간을 되돌리려 하는 문학
하나도 아름답지 않아
반복해서 슬픔을 들이키는 것만큼
미련한 것도 없어

작은 이를 외면하는
융통성 없는 위선의 중용
그렇게 욕먹던 사람들보다
나는 지금 더 외로워

화를 내지는 않아
후회하지도 않아
입추 다음 날[2]
하필 너의 생일이어서 그랬어

고개는 다시 창가로 돌린다

---

2) 2023년 8월 9일

둘 중 하나

함께였던 두 사람이
갑자기 하늘과 땅으로 갈리니
어이가 없었다

땅에 남은 이는 당황하다 못해 미쳐가는 듯하다
세상 가장 사랑하던 사람까지는 아니었기에
한 번도 최선이었던 적 없고
선한 마음 내어준 적도 없어서
어이가 없었다

하늘에 오른 이도 복잡할까
조작된 사인과 분실된 유서처럼 허무할까
혼자 결정한 것도 아닌
알고 보면 그렇게 갑자기가 아니었던 이별

그 후 비슷한 복장, 비슷한 이름만 보여도
그에게 하듯 하는 미치광이는
더는 같이 슬퍼하는 자가 없어
어이가 없었다

미안함과 고마움 따위보다는 훨씬 복잡한
내게 가장 귀한 것을 주고 싶은 마음이 생겼지만
이곳에 둘 중 하나, 나뿐이라
내 안에 귀한 것도 마침 하나도 없는지라
어이가 없어서 웃음이 터진다

덩어리

손으로 쥐는 것보다 마음에 남는 것이
더 귀하다고 말하곤 하지만
우리의 영혼만 해도 몸에 붙어 있을 때야
겨우 중요히 여김을 받지 않는가

뼛속까지 스며들었던 어느 날의 영감도
꾹꾹 눌러 기록하지 않으면
하룻밤 사이 흔적 없이 증발하니
졸린 정신이 만들어 낸 환상이나 다름없네

신성하게 모셔 왔던 소망도
그것을 부지하던 나란 몸뚱어리도
너와의 만남과 이별까지도
다 그런 허튼 것이었네

어떠한 덩어리가 되어야 작품이었네
우리도 구태여 서로에게 손을 뻗어
그 손에 움켜쥘 다른 손이 없어질 때야
겨우 아름다운 감탄 한마디 꺼낼 수 있었네

눈을 감는다
네 손 위에 내 손을 얹은 채

투명

투명한 고통이 조각조각 부서지니
이제야 선명하게 보인다
매일 매순간 느끼는 네 자신보다
더 굳게 믿었던 투명은 가라앉는다

느낄 수 있음은 곧 살아있음이니
밝아도 어두워도 안 보이던
투명 또한 축복이라며
하루도 글쓰기를 쉬지 않던 이는 떠났다

조각을 품에 안아 녹인다
흘러내린 뜨거움은 갈라진 땅을 메운다
흉물스러운 것과 우러러볼 만한 것의
경계를 지운다
끈적거리며 이곳저곳에 달라붙다가
또 다른 투명한 벽 앞에 가로막힌다

그렇게 또 하루를 산다

짙은 남색

나를 좀 고쳐 달라고
돈과 부탁을 동시에 받은 너는
울음을 터뜨리고 말았어

내게 되묻더군
나도 울어도 되나?

너는 죽은 이의 영혼을 꺼내오는
무서운 사람일 줄 알았어
알고 보니 영혼은 놔두고 마음만 복제해 오는
더 무서운 사람이었어

그가 된 너는 내게 물었어
내 마음이 어떨 것 같아?

화가 나고 어이가 없겠지
지금은 다 잊었더라도
화가 나고 어이가 없다고 말해줬으면 했어

그러나 그는 화가 나지 않아서
나의 사과는 전해지지 않았어
모두 품위를 지키고 있었어

체면과 영예를 동시에 잃은 나는
울음이 되려 마르고 있어

시간과 죽음도 초월하는 진심이 있다면
누구의 영혼도 꺼내올 필요가 없었어
그런 마음은 어디서 찾을 수 있을까
밤이면 별이 꼭 보이던 네가 인도한 그곳일지도

온통 짙은 남색이야
보이지 않아도 좋아
반짝이면 하늘, 출렁이면 강,
발 한 짝 떼기 싫으면 땅이겠지

어둠도 밝음만큼 좋을 때가 있듯
죽음도 생명만큼 좋을 때도 있을까

만약 내가 행복해진다면
그래도 계속 울어도 되나?

유행

우리 우울한 얘기 이제 그만하자
　어떡하지 요즘 살아가는 게 그런 것뿐인데

말하기를 그만하는 수밖에
그 대신 노래를 해봐야지
적당한 노랫말이 없어 직접 글을 쓴다
마음 기울여 듣지 않고서는 이해하지 못할
아주 복잡하고 깊은 은유로

입과 목구멍을 크게 벌려 소리를 내는데
참 우스운 소리가 난다
어릴 때부터 침묵을 그렇게 좋아했는데
노래를 잘할 리가, 하하

노래는 네가 불러야겠다
쾌청하게 잘 부르는구나
무슨 뜻인지는 알고 부르나
모르고도 불러주니 더욱 고맙다

서로 많이 미워하며 흩어지는 게 유행이지만
그런 거 모르는 척하고 지내자
거울만 가리면 부끄러운 낯도 숨겨지는 줄 알고
죽어가는 거리도 못 본 척하며 갈수록 더 빨리
죽어가는 무리에도 휩쓸리지 말자

그러나 끝내 이렇게 생각하고 말았다
나는 죽은 거나 다름없고
신은 없는 거나 다름없다고

웃기게든 쾌청하게든 노래로 부르면
다들 한참이고 즐겁게 듣는구나
잿더미 사이 덜 탄 장작 구르듯
신비한 노랫말 사이
덜 녹은 우울 조각 슬쩍 떠밀려 와도
못 들은 척해주자
못 들은 척도 유행이라 치자, 하하

여린 가을

매번 이쯤 와서 돌아보면 같은 후회를 하곤 한다
숨이 차다 못해 넘어갈 만큼
달릴 필요는 없었는데

새빨갛던 열심 조금씩 식어가는 계절 입구에
차 한 잔으로 쉬어가는 맑은 오후에

가느다란 바깥 빗줄기를 내다본다
아직 조금 남은 잎사귀 다치지 않도록
가만가만 내려와 구슬로 맺힌다
동그란 날씨에는 찡그린 얼굴도 몇 없다

얇은 구름층에 올라 여러 갈래 길 내려다보며
너무 복잡한 동행을 하진 않기로 한다
다시 달리지 못할까 봐
잠시도 멈추지 못했었는데
이젠 아예 느긋하게 자리 잡아
서로 기대어 앉는다

시계를 드문드문 보지도 않는다
이러다 일어나 걸을 힘까지 모두
우유 크림처럼 녹아 버린다면 녹아 버리라지
비는 또 올 테고 여린 잎은 언제나 예쁠 텐데

구름 너머를 보여준다는 지혜의 글을 읽느라
너무 자주 까치발을 들진 않기로 한다
얕은 뿌리 정성 어리게 품어 안은
흙냄새만큼 낮아져도 좋을 이날에

눈을 감고

무슨 생각인지 모르겠습니다
해선 안 되는 생각도 있다는데
때와 장소에 맞게
마땅히 해야 하는 생각도 있는지
생각에 한계가 없다는 것이
이론상으로만 가능한 것인지

하면 괴로운 생각도 참 많습니다
잘못하면 죽을 수도 있는 생각이라는 것도
있습니까
생각은 몸을 변화시킵니까
생각만으로 창조도 할 수 있습니까
나는 무슨 생각으로 지어진 사람입니까

무슨 생각을 하는지 스스로 모르지만
아무 생각 없는 것은 아닙니다
끝이 없는 생각에는 어쩌면
처음도 없었을지 모릅니다
아무리 되감아도 언제나 이미 있는
그런 영원도 있잖습니까

나는 눈을 감습니다
생각을 읽어보려 함도 멈춰보려 함도 아닙니다
끝이 없어 영원히 통제할 수 없는 것
그 사이에 몸을 가만히 두는 것 정도는
가능하구나 싶습니다

눈을 뜹니다
생각이 가리키는 곳으로 몸을 향합니다
천천히 걷다가 머릿속 리듬에 맞춰
뛰어도 봅니다
생각이 어느 정도 통제되는 것도 같습니다

그러나 마음은 가만히 둘 수 없습니다

꿈과 밤

봄꽃처럼 달콤한 꿈이 피었네
밤이면 마른 쑥처럼 타올라
온 동네를 둥글게 비추었네

강가에 두어도 바다까지 닿는
영롱한 아름다움이었네

그러나 안타깝게도 돈이 없었네

두꺼운 종이상자처럼 거칠게 던져지고
방금 꺼낸 냉동 카레처럼 급하게 태워지고
섞여 있는 삼각김밥처럼 앞뒤로 자리를 바꾸더니
가득 찬 포대 자루 묵직하게 떨어지며 일으킨
먼지와 함께
말끔히 청소되었네

밤은 꿈 한 톨 없이 깨끗해졌고
온종일 돈을 번 나는 그만 자는 법을 잊었네

시계

시계는 시, 분, 초를 알려줍니다.
오전, 오후 정도는 알아서 알아내라는 것이지요
매시간을 맞추는 것까지는 못 해도 괜찮으나
낮과 밤조차도 스스로 구분하지 못한다면
시계를 찰 자격도
남과 어울릴 자격도 없는 것일까요

낮도 밤도 원하는 때
시작하지 못하는 삶이 있습니다
처방받은 약으로도 제때 잠들지 못하고
누적된 수면 부족이 어느 대낮의 피로로
몰려오기도 합니다

알코올도 게임도 카페인도 안 합니다
담배나 이상한 약에 손댄 적도 없습니다

하루 세 번 균형 잡힌 식사를 하고
규칙적으로 운동하고
정기적으로 사회생활을 하고
병원에도 자주 방문하지만
여전히 오전과 오후를 나눠주는
디지털시계가 필요합니다
더 많이 충전하고 더 자주 갈아주어야 합니다

이렇듯 더 손이 가는 사람이 있습니다
자꾸만 끊어지는 시간이 그에게는
별것 아닌지라 불평거리도 아니지만
미움 당할 이유가 되기에는 충분하다는 것
잘 알고 있습니다

비싼 시계를 찬 당신
팔걸이에 양팔 올려 두고
편안히 한숨 자도 좋습니다
나는 당신 시계 관심 없습니다

시간 여행 1

열심히 손아귀 힘을 길러
지구를 잡아 반대로 돌리면
시간도 과거로 돌아가나
아니, 태양계 행성을 전부 돌려야 하나
어디까지 돌려놓아야 시간 여행 기회가
한 번 생기려나

그렇게라도 방법이 있다 치고
내가 능력이 안 되어 못 하는 걸로 하자

마지막 전하지 못한 말은 이거였던 걸로 하자

아이고, 미안해.
오늘 너무 힘들었어서….
널 무시하려는 건 아니었어.
요즘 잘 지내?
뭐 힘든 일은 없고?

시간 여행 2

생각해 보니 우리 그러고 같이 사진도 찍었네
둘 다 활짝 웃은 채로

꿈이 그렇듯
꿈 같은 일은 순서가 헷갈려

어느 시간에서든 꼭 다시 만나자

육체노동

이른 아침 육체노동자들과 함께 빚어낸 뜨거움이
오후 예술인들 사이 공극을 얼어붙게 한
고독한 차가움과 기어이 만나 연기를 뿜던 날

언제까지 쓰다 버려도 그만일 낡은 천 가방에
두 시간 치 음악을 담아 집을 나선다
목장갑을 벗어 두고 택시를 불러 잡는다

얇은 시집 한 권
안경 닦을 수건
어지러움 멎게 할 진통제
글쓰기를 마치고 펜을 정갈히 누일 필통도
챙기지 않고

삭제하기로 한 악보 몇 쪽을 이면지 삼아
가벼운 가방 들고 멈춰선 골목 속
따뜻한 차향이 주는 감동을 받아 적는다

서명 따위에는 적절하지 않을
저렴한 펜 한 자루 들고

새벽부터 비를 맞으며 생각을 이어간다
비굴하게 유사 예술 행위를 할 바에
부끄럽지 않은 노동으로 벌겠노라
아직 무너지지 않은 다짐을 툭툭 건드려 본다

아침의 근육통에 영혼은 고요하게 맑아지고
사인할 네임펜 두세 자루 챙겨 들지 않고서는
도저히 외출할 수 없는 그런 날도 오려나
한밤의 뒤척임에 유치한 히죽거림을 더한다

무겁고 오래된 새벽이 오고
다시 상자를 옮긴다
멋스러운 두툼한 골동 가죽 가방의 무게가
부담스럽지 않도록

약수

육 호선에서 꾸벅꾸벅 졸았다
머리를 붙이자니 고개가 너무 젖혀져서 아프고
떼자니 중심이 안 잡혀서 어지러웠다
환승역에 내려서도 정신이 안 들어
육 호선에서 육 호선으로 갈아탈 뻔했다

삼 호선에서도 연이어 조는데
도무지 내가 내려야 할 역이
아니 이름 아는 역이 하나도 안 나온다
열차를 잘못 탄 건지 노선을 잘못 본 건지
어찌어찌 도착은 했는데
마법같이 한참 지체된 시간에 당황스럽다
내가 조는 사이 어디 엉뚱한 곳으로
열차가 몰래 날아갔다 왔나 보다

중얼중얼보단 우물우물에 가까운 혼잣말을 한다
우물우물, 뭐라도 씹으면 잠이 깨더라고

종점 부근에 사는 나는
마지막 환승을 마치면 선택할 수 있다
잠이 들고 깰 때마다 무용해지는
수만 가지 절규와 환희를 끊고
입 안 가득 맑은 물 넣어 우물우물,
잠에서 깰 텐가
아니면 그냥 지하철 꿈을 꾼 걸로 할 텐가

선택은 빨라야 한다
마법에 걸린 열차는
쉽게 멈추지 않는다네

꽃대

큰 새가 집 지을 만한 나무가 아니요
가벼이 돌아다니는 호흡이 쉬어가는 꽃대요
이 뒤로 몸을 숨길 생명은 어린 것뿐이오
모실 만한 것도 모독할 만한 것도 못 되는

이웃에게 마음을 다하지 않았으니
그들의 마지막 호흡에서
내 이름이 나오지 않음은 당연하고
내 마지막 호흡이
어느 눈 하나 적시지 못함도 당연하다

둥근 나이테 품는 듬직한 나무가 되시오
그 누구의 기쁨이 되지 않아도 그만이고
밟혀 끊어져도 그만인 풀이 되지 말고
바위와 바람과 햇볕의 은총 받기를

마지막 순간에 기억되지 못하는 존재는
든든한 가지를 뻗을 수 없다오

푸르고 다양한 산속 여러 호흡처럼
그대는 맑고 복잡하길

담지 못한 사랑

표현하는 방식이 서로 달랐을 뿐이라고
그렇게 생각하고 말았었지

네가 모은 나의 상징을 보며
두려움에 다그치듯 말했지
죽은 사람도 아닌 나를
방 한쪽에 왜 매달아 두냐며

형상을 만들지 말라던
신의 질투도 같은 맥락인가

온전한 나만을 바라봐주길 원한다는
속 좁은 핑계를 덧붙였으면 조금 나았으려나

너의 공간에 사랑으로 치유해야만 하는
어떤 아픔이 있을 거라고는 생각도 못 했네

이전보다 더욱
내 머릿속을 채우는 건
사랑보단 외로움
그중에서도 외로운 죽음이네

어느덧 나는 외로운 죽음의 상징이 되었네
이제는 너의 아픔 읽을 수 있을 것만 같지만
제때 담지 못한 사랑은 저 멀리 흘러가네
다시는 오지 않을 그대는 슬픈 희망이어라

그날 그 순간

내가 없던 2020년대
코로나 말고, 뭐 재밌는 일 없었나
뉴스에 나올 만한 이야기 말고
네가 어떻게 지냈는지가 궁금한데

봄이 올 때마다
마음을 찢어 심장을 쏟았다는
눈 질끈 감기도록 아픈 이야기 말고
행복하게 머문 순간 정말 너에겐 없었니

모든 것의 갑작스러운 종결 말고는
아무 해결책 없던 나처럼
너도 고장 난 저울 위에
삶과 죽음을 한 덩이씩 올리고 지켜봤니

생의 의미를 잃었다는 것
그것을 공고히 하는, 과거를 소재로 한 작품들
아무도 읽어주지 못하는 의도를 붙들고
맥락도 없이 울었겠구나

살아있는 내 친구야
삶을 다 살아내고도
나는 생명의 진리를 밝히지 못하겠구나

그저 우리 다시 만날 그날
그 순간은 반드시 아름다울 거라는
기대 하나면 되지 않을까

겨울 아침

다시 펜을 든 것은
손 하나 다 안 들어갈 만큼
창문이 아주 조금 열려 있었고
작은 틈 따라 새어 나간 온기로
밤새 몹시 추웠기 때문

흰 입김 따라 허무하게
간절했던 기도는 날아갔고
슬픈 눈 얼어붙을까
잠들지 못했기 때문

아무것도 바뀌지 않은 줄 알았지만
사실 다 달아나 버렸고
제자리인 건 나뿐인 것을
아무리 눈을 열어도 몰랐기 때문

여전히 아직도
그게 벌써 얼마나 지난 일인데

그러기에 나만 잊으면
없었던 일이나 다름없게 된다는 걸
이제서야 알았기 때문

에필로그

희서에게

지금의 진실한 삶을 부끄러워하지 않길 바란다. 그렇지 않은 삶으로는 예술을 누리지 못한단다. 그러나 꼭 언제나 간절하거나 고통스러워야 하는 건 아니다. 번지르르한 사회도 뜯어 보면 어처구니없을 정도로 얇고 얇은 합의로 세워졌다는 걸 보았잖니. 불면의 진리가 정말 있는지 찾아보는 데 힘써 봐라. 그 노력으로 삶의 자유를 얻어야 한다. 너무나도 원초적이어서 하나만 있어도 모든 것을 관통하는 진실. 그것을 온전히 통달하길 기대하되, 결과는 반드시 실패일 수밖에 없음을 잊지 마라. 투명하고 흐물흐물한 진실이 무겁고 딱딱한 합의를 지탱하지 못해서 무너져 서로 엉키거든, 그대로 놔두면 된다. 신경 쓰이고 불편한 곳에 진리가 자리 잡고 영원히 떠나지 않을 것이다. 이 혼잡한 반죽을 꿈으로 덮어라. 꿈으로 가득한 우주에서 왕이 되어라. 온 백성을 매료시킬 두렵고 근엄한 독트린을 준비해라. 언제나 예술을 독재자의 마음으로 다루어라. 네 삶이 아름다운지 아름답지 않은지 다른 여러 사람에게 물어보고 다수결에 따라 민주적으로 결정하지 말아라.

아름다움의 진실을 손에 꽉 쥐고 있어야 한다. 잃었다면 가져간 자와 싸워서 빼앗기를 주저하지 말아라. 마땅히 무엇을 해야 할 지 결정하고 지켜라. 끝까지 해내기 전 포기해도 좋고 마음 깊이 후회해도 좋으니 지금 멈추지만 말아라. 작품은 몇 번이고 망쳐도 좋으나 자아를 망쳐선 안 된다. 아무렇게나 널브러져서 쉽게 얻을 수 있는 것은 대개 진실하다.[3] 동경할만한 것은 내면에 있다. 다시 배열하거나 조합할 것 없이 그대로 꺼내 쓰면 된다. 그러니 사라지지 말아라. 존재하되, 고귀하게 존재해라.

---

3) 한규호. *눈 아래* 중 "봄", 2021